D0095025

Undécima edición: julio 2017
Título original: "Karel in het vliegtuig"
Publicado por primera vez en Bélgica por Clavis, Amsterdam-Hasselt, 1999
Traducción: P. Rozarena
© Editorial Clavis, Amsterdam-Hasselt, 1999
© De esta edición: Grupo Editorial Luis Vives, 2002
ISBN: 978-84-263-4622-3 · Depósito legal: Z 98-2013
Impreso en Eslovaquia

NACHO
VIAJA CON
SU ABUELA

Liesbet Slegers

EDELVIVES

YO SOY NACHO.
ME VOY DE VIAJE
CON MI MALETA
Y MI ABUELA.

MI ABUELA Y YO
NOS VAMOS
DE VACACIONES.
NOS VAMOS
EN AVIÓN.

HAY MUCHA GENTE.
TODOS VIENEN
CON NOSOTROS.
DEBEMOS ESPERAR
EN UNA COLA.

TODOS TENEMOS
QUE PONERNOS
LOS CINTURONES.
¡QUÉ EMOCIONANTE!

Y ¡ARRIBA!
EL AVIÓN VUELA.
¡YA ESTAMOS
EN EL AIRE!

¡SOCORRO!
¡QUÉ MIEDO!
SIENTO COSQUILLAS
EN LA TRIPA.

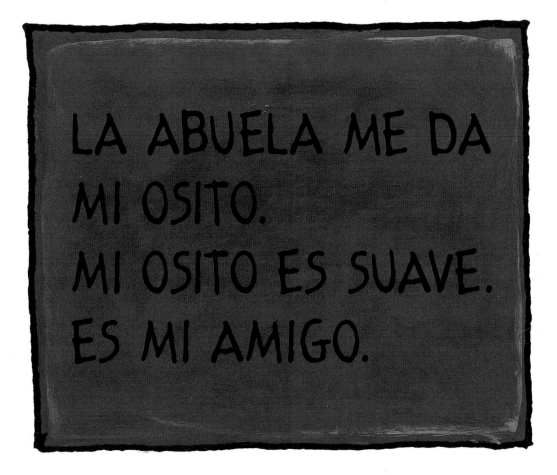

LA ABUELA ME DA
MI OSITO.
MI OSITO ES SUAVE.
ES MI AMIGO.

EN UN CARRITO,
LLEVAN COSAS DE
COMER Y BEBER,
Y DAN A TODOS.
¡YO TAMBIÉN QUIERO!

TENGO QUE IR
A HACER PIS.
¡UF! ¡QUÉ BIEN!

DETRÁS HAY
UNA NIÑA RUBIA
MUY GUAPA.
TIENE RICITOS
Y UN GATO.

EL AVIÓN
ESTÁ BAJANDO.
SE PARA
EN LA PISTA.
¡HEMOS LLEGADO!

LA ABUELA Y YO
RECOGEMOS
LAS MALETAS.
¡ADIÓS, AVIÓN!
¡HASTA LA VUELTA!